Primer Premio del I Certamen Internacional de
Álbum Ilustrado «Ciudad de Alicante», 2001

© Del texto: Daniel Nesquens, 2001
© De las ilustraciones: Fino Lorenzo, 2001
© De esta edición: Grupo Anaya, S. A., 2001
Juan Ignacio Luca de Tena, 15. 28027 Madrid

ISBN: 84-667-1326-3
Depósito legal: M. 45.808/2001

Impreso en ORYMU, S. A.
Ruiz de Alda, 1
Polígono de la Estación
Pinto (Madrid)
Impreso en España - Printed in Spain

EXCMO. AYUNTAMIENTO DE ALICANTE
PATRONATO MUNICIPAL DE CULTURA

Daniel Nesquens

Mermelada de fresa

Ilustraciones de
Fino Lorenzo

LOS ÁLBUMES DE
SOPA DE LIBROS

Todos los ratones tienen cola.
La cola es más larga que los bigotes,
y siempre está al final del ratón.

Los bigotes, en cambio,
están al principio del ratón.
Bajo su nariz chata.
Con los bigotes se rascan la nariz,
y con la nariz huelen el queso.

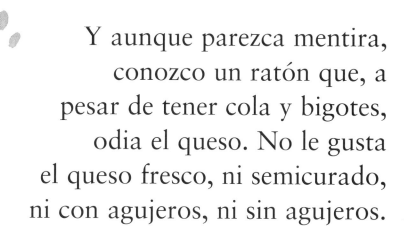

Y aunque parezca mentira,
conozco un ratón que, a
pesar de tener cola y bigotes,
odia el queso. No le gusta
el queso fresco, ni semicurado,
ni con agujeros, ni sin agujeros.

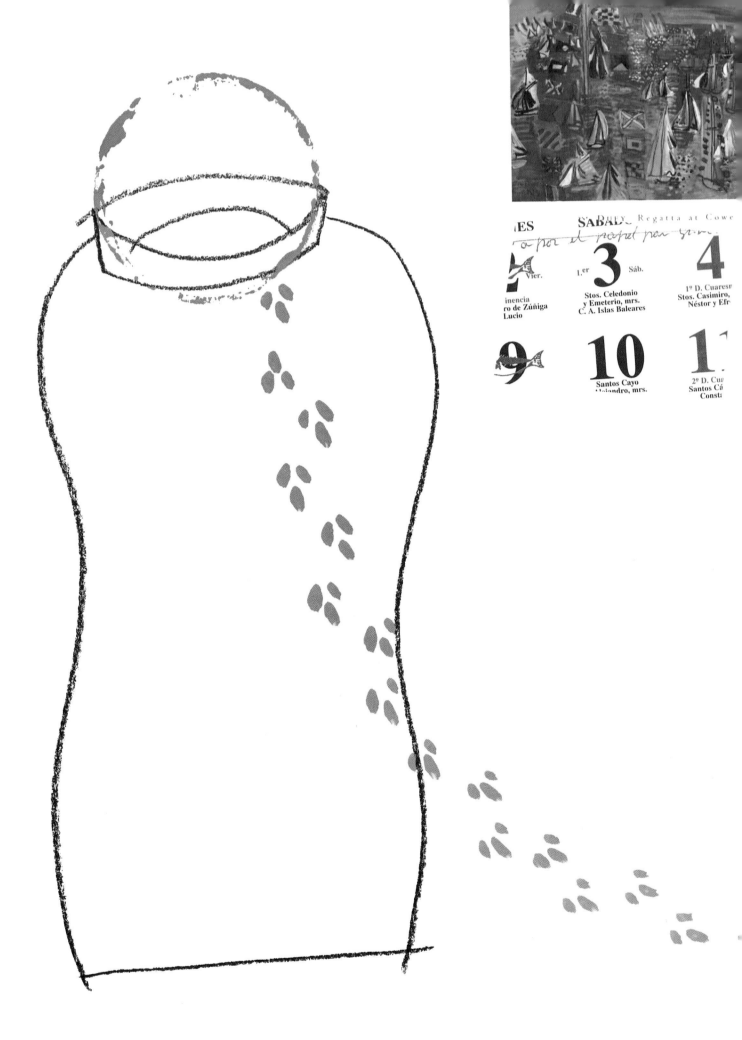

ES   SABADO

1.er **3** Sáb.   **4**

Vier.

inencia   Stos. Celedonio   1º D. Cuaresm
ro de Zúñiga   y Emeterio, mrs.   Stos. Casimiro,
Lucio   C. A. Islas Baleares   Néstor y Efr

9   **10**   **1**

Santos Cayo   2º D. Cua
Alejandro, mrs.   Santos Cá
    Const

Se trata de mi ratón, Papas Fritas.
Y lo que realmente le apasiona
es la mermelada de fresa.

Papas Fritas es mi mascota.
Me lo regaló mi hermano.
Nunca me había regalado nada.
¡Qué generoso!

edor, junto a ...
y los ma...
una a...
varied...
aparad...

Como he dicho,
a Papas Fritas no le gusta el queso.
Ni siquiera el que compra mamá
para nuestra merienda.

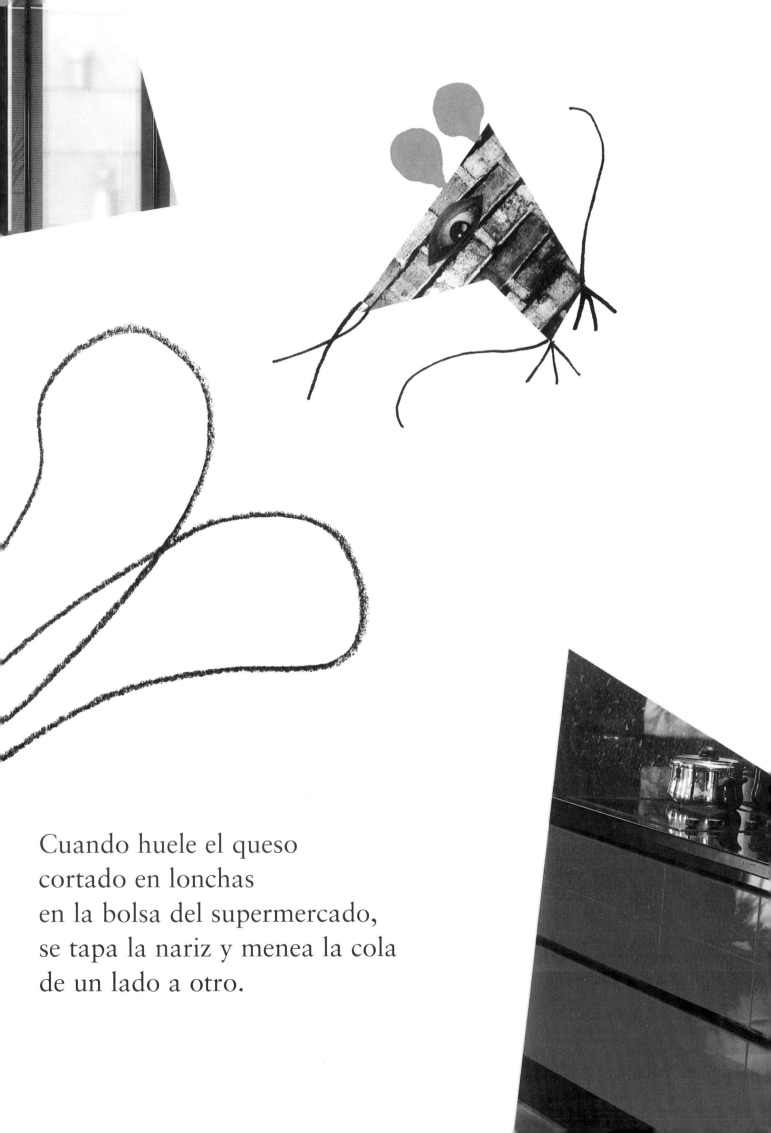

Cuando huele el queso
cortado en lonchas
en la bolsa del supermercado,
se tapa la nariz y menea la cola
de un lado a otro.

Si no se tapa la nariz
y menea la cola de arriba abajo,
es que mamá ha comprado
mermelada de fresa.

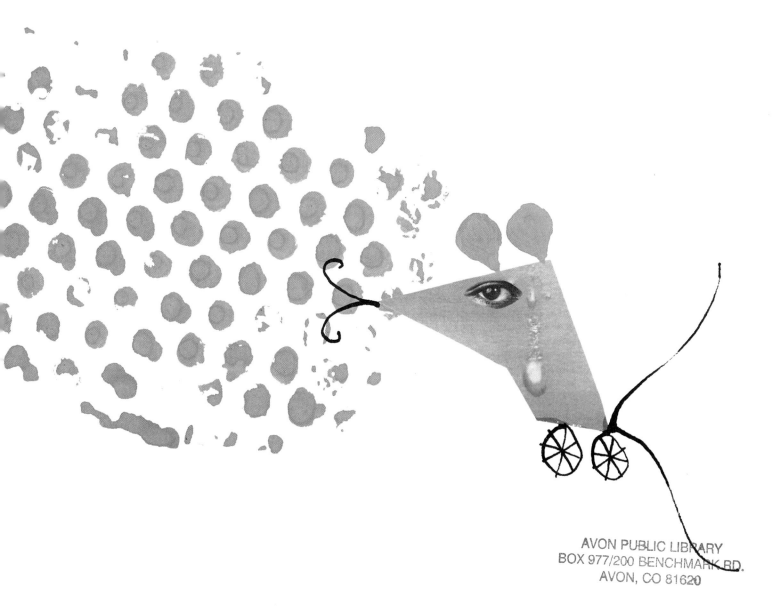

Lo curioso es que,
cuando es temporada de fresas
y mamá las compra para postre,
Papas Fritas ni mueve la cola ni los bigotes.
No le gustan las fresas frescas,
solo le gustan en mermelada.

A Papas Fritas no le tengo
que despertar por las
mañanas, es él quien
me despierta a mí.
Me hace cosquillas
con sus bigotes
y me dice al oído:
«¡A desayunar!».

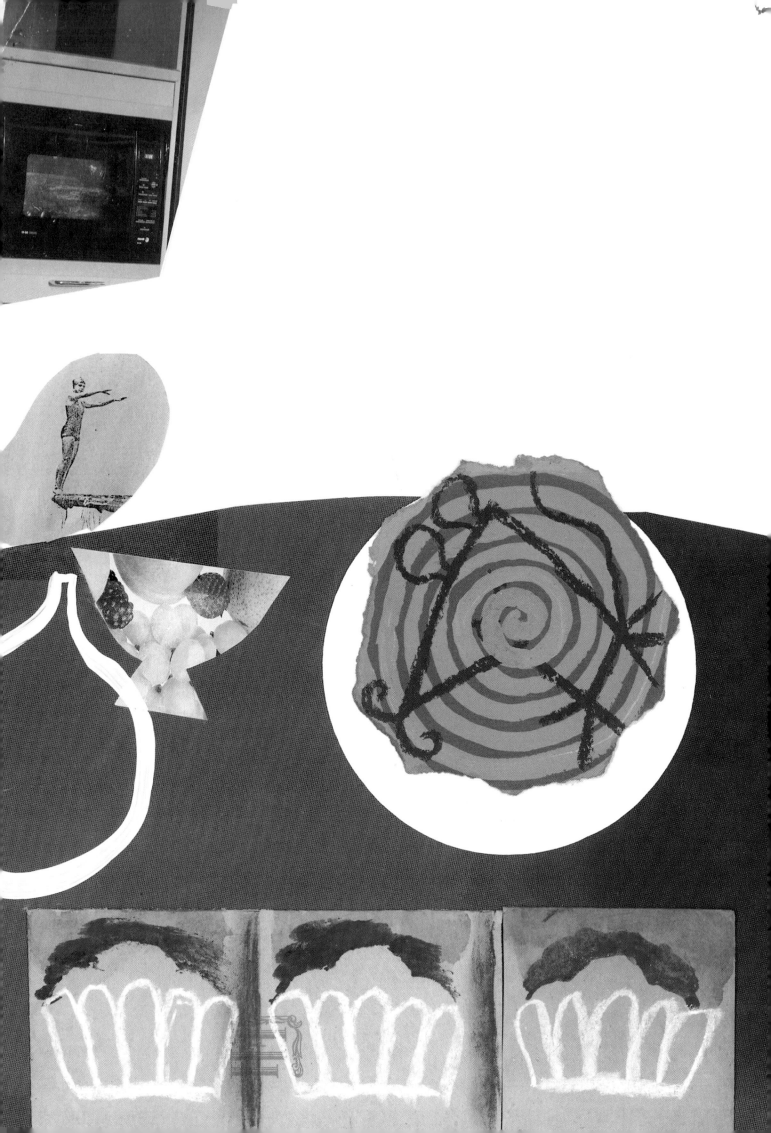

Yo desayuno un tazón de
leche con cacao y magdalenas.
Papas Fritas, una tostada recién hecha,
llena de mermelada de fresa.
Se sube encima de la tostada
y va comiendo a su alrededor.

Cuando solo le queda por comer la parte que pisan sus patas, se baja de la tostada, la mira fijamente y, rápido como un rayo, no deja nada sobre el plato. Ni una pizca.

Con pasos lentos
se me acerca, husmea
lo que me queda de desayuno
y se me sube en la mano.

Trepa por mi brazo
y llega hasta mi hombro,
se asoma a mi oreja
y me dice:

¡Qué suerte que hoy sea sábado!

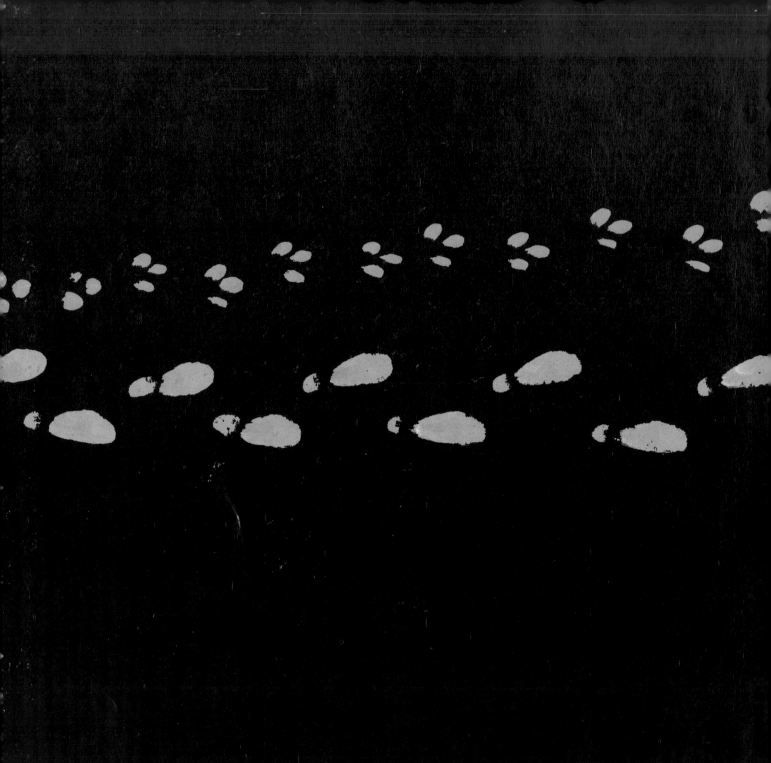